Mémoires de la Terre

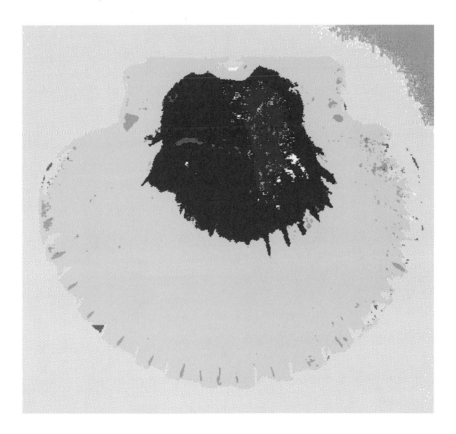

Du même auteur

L'Univers est, donc je suis, essai poétique
Saint-Boniface (Manitoba), Éditions des Plaines, 1998

Sablier, poèmes
Saint-Boniface (Manitoba), Éditions des Plaines, 1997

Millénaire, poèmes
Saint-Boniface (Manitoba), Éditions des Plaines, 1995
Prix de la Toison d'Or (Paris)

Poèmes pour l'Univers, poèmes
Saint-Boniface (Manitoba), Éditions des Plaines, 1993

Les Fruits de la pensée, poèmes
Saint-Boniface (Manitoba), Éditions des Plaines, 1991

Renaissance, pièce en cinq tableaux
Sherbrooke (Québec), Naaman, 1985
Médaille d'or de l'Académie de Lutèce

Le Poème des objets, poèmes
Sherbrooke (Québec), Naaman, 1983

Poèmes pour demain, poèmes
Sherbrooke (Québec), Naaman, 1981

Chansons, poèmes
Montréal, Éditions CLÉ, 1979

Notions et Méthodes de sédimentologie, traité
Bucarest, Institut géologique de Bucarest, 1967
Traduit en roumain et en anglais

Christine
Dumitriu Van Saanen

Mémoires
de la Terre

Poèmes

Éditions du Gref

Collection Écrits torontois

Toronto 1999

Données de catalogage avant publication (Canada)

DUMITRIU VAN SAANEN, Christine
   Mémoires de la Terre : poèmes

(Collection Écrits torontois ; no 16)
ISBN 0-921916-86-8

   I. Titre. II. Collection.

PS8557.U53M45 1999   C841'.54   C99-901123-5
PQ3919.2.D85M45 1999

Direction éditoriale : Alain Baudot.
Préparation de la copie : Alain Baudot.
Graphisme de la couverture : Nathalie Cusson.
Composition typographique, maquette
   et mise en page : Alain Baudot.
Impression et reliure : AGMV Marquis imprimeur,
   Cap-Saint-Ignace (Québec).

© ÉDITIONS DU GREF, août 1999
Groupe de recherche en études francophones
Centre universitaire Glendon, Université York
2275, avenue Bayview
Toronto (Ontario) M4N 3M6
Canada

À Mircea et Alexandre.

Liminaire

Pour des raisons qui échappent à la compréhension des volontés universelles, nous appartenons, depuis des millions d'années, à l'une des petites planètes de notre système solaire, grâce à sa capacité d'effleurer le moment de notre arrivée et de nous couvrir, plus tard, avec son corps. La Terre nous vit avec ou sans notre présence.

Après avoir appris à s'adapter à sa nature cosmique, dans l'engrenage des rotations, le géoïde continue la voie de son destin émancipateur.

J'ai ouvert les mémoires de la Terre avec le désir d'arracher les secrets ensevelis dans l'intelligence de son parcours. J'ai suivi les pas des montagnes sur les plages endormies. J'ai caressé le corps imaginé d'espèces frêles, attachées au sel des eaux pétrifiées. J'ai remonté les pentes des paléocourants dans la mémoire des sables.

Entités de vie, nées des réactions biochimiques au niveau moléculaire et d'une matière d'ensemble, orientée vers son évolution naturelle, nous complétons, au point supérieur de l'échelle des espèces, les paramètres de l'équation universelle.

CHR. D. V. S.

Mouvement

Évasion d'étoile
débris posthumes

prologue d'une partition

les chiffres parlent de moissons anciennes
aux parchemins du temps

Témoin des solitudes
galactiques

un point grandit
sur la rétine du silence
autour des centres de faiblesse

avec sa part de consistance
près de sa lune

La Terre surprend la mécanique de vérité

des creux naviguent sur l'enfance des planètes
géants comme la peur de les quitter

Globe

touché de permanence

esclave des sphères

aux paradis de la gravitation

cadence d'infinis

loins qui s'attirent

par rotations

Noyau de convexion
enveloppé dans une mantille de fer et de nickel

la machine des frémissements
pose l'auréole magnétique
sur les blocs migrateurs

La lithosphère danse
plie
brise
perpétue
les archives de la Terre
croisades du géoïde
victoire de la Pangée

Les montagnes descendent
orages des pierres

le caillou se meut en gènes de feldspath
porteur de tumulte
hiéroglyphes sur le visage de la boue

Le courroux attise la cime
des sédiments jettent l'ancre dans la paume
                              [du lieu
la source est écrite par le courant turbide
argile grès conglomérat grès argile conglomérat

le flysch continue
au-delà des rigueurs

Le temps se comble de masses éoliennes
cathédrales englouties

monotonie
des vestiges retrouvés
dans la blessure des champs

Des pulsations fertiles
montent les éclats de laves
aux yeux de patience minérale

tourmaline staurotide grenat zircon
les parties se joignent dans la roche crue

Promenade des plages
d'une vague à l'autre
se forge le solide

la glaise roule
l'urgence des chocs
horizontal vertical
vase non cuite en gouttes de cratère

Au cœur des transgressions
le rift entend battre l'incandescence
d'époques engourdies

les phases chassent les orgies
le minuscule évoque le début
dans l'interstice des genèses

La dorsale médio-océanique
partage l'angoisse
de l'abîme

une ascendance se reflète
dans la pupille du mouvement

Orogenèse
monuments
à la surface des croissances

la transformation se blottit
répétition des crêtes

instants de sable

Terre
mariée à l'atmosphère
nuage de discontinuité
à la lisière des plaques
en affrontement
perpétuel

Migration des pôles magnétiques
mutation apparente

le déplacement
attire la graine aimantée
vers le sacre du passé

Géosynclinaux
ramasseurs de reliefs brisés

la détresse de l'altitude agenouillée
définit les contours de l'œuvre

les rochers avancent
entre des cieux successifs

Le manteau recyclé
fait basculer les séries de passage

l'ordre devient temporel
les commencements se comblent de pression

délivrance des foudres

Roches

sédimentaires, éruptives, métamorphiques

au royaume des phénomènes

l'invention prend la forme des colosses

en lutte contre le firmament

les miettes des sommets apprivoisés

tombent sur le regret des socles

Un cristal de joie éclot
multiple de merveilles
facettes
axes
géométrie des lumières endormies
au sein des éléments

Sourire blanc de quartz

l'explosion d'améthyste

de topaze

accomplit le miracle cubique quadratique

orthorombique triclinique

hexagonale rhomboédrique monoclinique

métamorphisme purifié par la volonté des

atomes

Les richesses émergent d'un paléomilieu
le sens de leur volume
imagine l'inconnu
à partir des points de réalité

jeu des propriétés
autour d'une valeur moyenne
pépites d'or marquées de variance

Gîtes minéraux dans la forteresse
des joyaux ensevelis
plomb zinc argent cadmium
filons concordants
bénis par la haine de Pluton
dans leur berceau hydrothermal
aux confins des parois

Diamant
coffre inviolable
des boucliers archéens

porteur de grenats
de pyroxènes
fleur des passions

perpétuant l'essence du reflet
l'état de création
puissance souterraine

Sous des écrans d'argile
les pores de grès
de calcaires à récifs
se remplissent
de cimetières liquides

sang noir de poissons défunts
pour les soifs futures

Les failles écoutent
le torseur des flancs

le réveil des volcans
sonne le glas
des naufragés

Elle a tremblé
frayeur des gouffres de l'absence

elle a glissé
enceinte de mort
pour ses coins verts

Les vibrations illuminent l'intérieur
tomographie des plaies sans ouverture
les courants montent
le gel se fend

le rejet des fractures
déforme les milieux

Synclinal anticlinal
les forces
s'attaquent à la planéité

plis de l'écorce
jusqu'à l'apothéose de la trigonométrie

sinus cosinus
bassins sans entrailles

Les fleuves boivent le sel
des sillons abandonnés

pardon de mer
pour le goût de la tourmente
transparence au fond de la marée

Des lambeaux de recouvrement
embrassent la jeunesse des séries
chronologie inversée

les continents marchent sur la Terre
au son de l'amplitude
défilé provisoire

Le lit des rivières est une truite
aux écailles de galets

imbrication figée
des conglomérats
à travers les épaves

Le granite pense l'océan à naître
fuite des socles
le silence des rivages
protège sa délivrance
vertiges des catastrophes
au nom de la raison

Naissance

Les impacts cométaires
agitent les trombes d'eau

l'ébullition les unit à l'espace
éjection de gaz

du chaos inhospitalier
naissent les microbes

L'arche se remplit de gemmules
morceaux de fragilité

héritage du départ
ballade de l'inventeur

Le code génétique
sépare la mémoire de sa fonction
sans erreur

de la matrice au programme
la subsistance des protéines robustes

loi des systèmes
désir de synthèse

Les algues bleues
vieilles comme les origines
respirent l'onde

les ptéridospermes formatent le charbon
les gymnospermes trouvent leur gloire au
Secondaire

les angiospermes continuent le règne des flores
bouquets vivant sur le tombeau de l'air

Pollens
porteur de dissémination

spores fossiles de fougère
similaires à leur descendance

migration d'aurore végétale

Après la tempête
s'installe le calme des capsules perforées
les nummulites s'attardent
au festin des foraminifères

Des spirales d'ammonites
marquent l'avènement du Crétacé
le sang des générations
bat jusqu'à leur perdition

En marge d'étangs clos
des cadavres calcaires
vivent leurs traces autochtones
sous des averses brèves

Au carrefour des vallées
molusques batraciens reptiles

l'aile enfante l'oiseau
sur le ciel de soleil

mammifères

le génome mord la branche de famille

Nourriture
pour l'embryon
des amphibies

parades d'insectes
devant la porte du lézard

les matins pondent l'œuf du crapaud
sur la terre ferme
de survie

Océans
chauds
transgressifs

océans
froids
régressifs

au centre
l'horizon est cycle

Courage des traces

durcissement des eaux

métamorphose des plaintes

ramification des genres

Parmi les disparus
des miettes d'existence
Cœlacanthe
poisson nourri de sa longévité
entre les taches de lumière

Fécondation
rencontre des demi-matériaux génétiques

l'organisme apprend la variabilité
les individus se rapprochent

l'échelle des mutations
surprend l'aléatoire

Énigme des fléaux cosmiques
des traps du Deccan

les brumes enlacent
le sourire des dinosaures

Diplodocus Stegosaurus
Tricératops Brontosaurus
Tyrannosaurus mangeur de chair

aucun n'a pardonné au Styx
la déchirure au seuil du Tertiaire

L'horloge a battu au rythme des rongeurs
l'horloge s'est ralentie au rythme des primates
horloge moléculaire
des anniversaires divergents
des organismes pluricellulaires
des crises explosives
des mécanismes évolutifs
dans l'os des sédiments

Elle se cache sous les boucliers de défense
contre les foudres égarées
des météorites

ses yeux
reflètent la rage du destructeur
les proies nourrissent l'extinction

L'alpha et oméga des biosphères
breuvage de mortalité
histoire de l'être
de soixante-dix millions d'années
un univers s'incline devant lui

Purgatorius
ancêtre écureuil
mangeur de fruits
au purgatoire des chaleurs

Adapis
Primate grimpeur
en vue d'une alternance

inflorescence de l'anatomie

l'aurore chante les saisons
quand la forêt s'éteint

Les primates supérieurs
s'adaptent à l'aventure
ils font la route du cerveau
jusqu'aux Hominoïdes

Ægyptopithèque
Proconsul
Dryopithèque voyageur
Pithèques vainqueurs de territoires
le jour de la vengeance

Bipédie
le torse accepte l'élan de verticalité
il y a environ huit millions d'années

Hominidés adeptes de l'alliance
entre carnages et pudeurs

Lucy
l'aïeule végétarienne
Australopithèque
accouche dans la douleur
Ève seule
porteuse de tourments

Galop biologique
galop technologique
Homo habilis
il devient carnivore
tranche l'arme
Homo erectus
axe de vie

Livre neuf du Quaternaire
à l'écart de l'usure

l'uranium déchiré
prédit l'âge des coraux
l'attrait des molécules pour les côtes mortelles
l'offrande des moraines
sur l'autel des glaciations

Homo sapiens
sa conquête de la nature
dure depuis trois millions d'années

sa conquête de l'espace
descend de l'avenir

La croûte boit l'acide
souffle carbonique
dans la serre de démence
réflexion d'astre
sans issue

Ils existent
les voies sans fin s'allongent avec eux
ils s'effacent
des tombes errantes
naît un courant de volontés défuntes
indicateurs d'un monde abandonné
aux certitudes des prédateurs

Les habitants de l'épopée
succombent à la dérive des matières

ravage de l'ensemble
triomphe sans importance

Nous sommes les cousins
des chênes des bactéries
des chats des champignons
des mille-pattes des fougères
des chiens et des lichens

l'arbre monte
comme un adieu à la semence

l'insignifiance
divise la cellule
pour déchiffrer l'erreur

Le dirigisme évolutif
échappe à une sélection tout puissante

l'organisme contrôle sa destinée
il joue le jeu des possibles
l'ouverture suit la trace des variations
génétiques
l'embryon appuit son origine
jusqu'à la plénitude du réel

La peine de tous les enterrements
traverse les images de poussière

intervalle de naissance
déclin parfait
au fond du coquillage

Détresse de continuité
entre sol et permanence

les descendants du geste
reposent
sur la peau de la Terre

L'antimonde est né avec le monde
la lumière reste fidèle à la présence
la roche vieillit socle après socle
un dragon cache la tête dans le creux de sa mort
l'ange glisse entre les signes de présage

Table

Cet ouvrage, qui porte
le numéro seize de la collection
« Écrits torontois », est publié
aux Éditions du Gref
à Toronto (Ontario), Canada.
Réalisé d'après les maquettes
de Nathalie Cusson et Alain Baudot
et composé en caractère Bauer Bodoni,
il a été tiré sur papier sans acide
et recyclé Artica offset vellum,
et achevé d'imprimer
le jeudi neuf septembre
mil neuf cent quatre-vingt-dix-neuf
sur les presses de l'imprimerie AGMV Marquis
à Cap-Saint-Ignace (Québec),
pour le compte
des Éditions du Gref.